LEARN FRENCH with Luc et Sophie

Quelle est la date de ton anniversaire?

1ère Partie, Unité 12

Barbara Scanes

Brilliant
PUBLICATIONS

L'anniversaire de Martine est le cinq février.

L'anniversaire de Nicole est le douze mars ...

et l'anniversaire de Céline est le vingt avril.

Vocabulaire

quelle est la date de ton anniversaire?	what date is your birthday?
c'est quand?	when is (it)?
ton anniversaire	your birthday
le premier	the first
chouette alors!	amazing!
le Jour de l'An	New Year's Day
moi aussi	me too
voici	here (is)
mon anniversaire est le...	my birthday is the...
son anniversaire	her/his birthday
l'anniversaire de...	the birthday of...
je ne sais pas	I don't know
il y a	there is/there are
janvier	January
février	February
mars	March
avril	April
mai	May
juin	June
juillet	July
août	August
septembre	September
octobre	October
novembre	November
décembre	December
monsieur je-sais-tout	Mr Know-it-all
c'est impossible	that's impossible/it's impossible
seulement	only
en	in